하늘이 예쁘게 물들었어요.

"미지야, 오늘 진짜 재미있었어.
내일도 놀 수 있어?"
"좋아. 학교 갔다 와서 놀자."

하루

글 김미혜 그림 차선희

선생님과 학부모님께

이 그림책은 초기 문해력 교육을 위한 수준 평정 그림책입니다.
아이의 읽기 행동을 관찰하고 기록한 결과를 바탕으로 아이의 눈높이에 맞는
책을 골라 주세요. 아이 스스로 책을 선택할 수 있게 해 주시면 더 좋아요.
그리고 가정과 학교에서 아이와 함께 안내된 읽기를 해 주세요.
이 책에는 한글의 열네 번째 자음 'ㅎ'이 들어간 '하루', '하늘', '좋다', '학교', '함께',
'하다' 등의 낱말이 나옵니다. 'ㅎ'의 소리를 잘 듣고 'ㅎ'이 들어 있는
낱말을 더 찾아보세요. 표지를 보며 아이의 일정에 대해 이야기해 보고
생활계획표를 만들거나 그림일기를 써 볼 수 있어요.
우주와 마루의 이야기가 모두 끝이 났어요. 하루 동안 우주와 마루에게
어떤 일이 일어났는지 다시 한번 이야기하면서 그동안 공부한
한글 자음을 복습해 봐도 좋습니다.

"안녕, 잘 가!"
"안녕! 마루도 잘 가!"

우주와 마루는
함께 집에 왔어요.

둘은 목욕을 하고,
저녁을 먹어요.

우주는 일기를 쓰고,
마루는 옆에서 놀아요.

우주와 마루가 잠이 들었어요.

정말 재미있는 하루였어요.

이 책은 _____ 의 것입니다.

하루

ⓒ 김미혜, 차선희, 2025

2025년 11월 3일 처음 펴냄

글쓴이 김미혜 | **그린이** 차선희 | **편집** 이진주 | **디자인** 더디앤씨 | **인쇄** 보명C&I | **제작** 세종PNP
펴낸이 김기언 | **펴낸곳** 교육공동체 벗 | **이사장** 오정오 | **사무국** 최승훈, 설원민, 공현
출판등록 제2011-000022호(2011년 1월 14일) | **주소** (03998) 서울시 마포구 월드컵북로7길 76-12 102호
전화 02-332-0712 | **전송** 0505-115-0712 | **홈페이지** communebut.com

ISBN 978-89-219-5 67700
ISBN 978-89-195-2(세트)

하루	BFL	3
	어절 수	46